Hoopoe

Cockatoo

Bee eater Bird

Tucan

Flamingo

Macaw

This Book Belongs To

_____

_____

PHOTO / SKETCH

LOCATION

HEAD

SPECIES _____

SEX / AGE _____

BEHAVIOR _____

VOICE _____

LOCATION NAME _____ BODY _____

GPS COORDINATES _____ LEGS / FEET _____

HABITAT _____

WEATHER CONDITIONS

ADDITIONAL NOTES _____

_____

_____

_____

MONTH SPOTTED

J	F	M	A	M	J	J	A	S	O	N	D

PHOTO / SKETCH

LOCATION

LOCATION NAME _____

GPS COORDINATES _____

WEATHER CONDITIONS

MONTH SPOTTED

	J	F	M	A	M	J	J	A	S	O	N	D

HEAD

SPECIES _____

SEX / AGE _____

BEHAVIOR _____

VOICE _____

BODY _____

LEGS / FEET _____

HABITAT _____

ADDITIONAL NOTES _____

_____

_____

_____

_____

_____

PHOTO / SKETCH

LOCATION

LOCATION NAME --

GPS COORDINATES --

WEATHER CONDITIONS

MONTH SPOTTED

J	F	M	A	M	J	J	A	S	O	N	D

HEAD

SPECIES --

SEX / AGE --

BEHAVIOR --

VOICE --

BODY --

LEGS / FEET --

HABITAT --

ADDITIONAL NOTES

PHOTO / SKETCH

LOCATION

LOCATION NAME ....

GPS COORDINATES ....

WEATHER CONDITIONS

MONTH SPOTTED

J	F	M	A	M	J	J	A	S	O	N	D

HEAD

SPECIES ....

SEX / AGE ....

BEHAVIOR ....

VOICE ....

BODY ....

LEGS / FEET ....

HABITAT ....

ADDITIONAL NOTES ....

....

....

....

....

....

PHOTO / SKETCH

LOCATION

LOCATION NAME _____

GPS COORDINATES _____

WEATHER CONDITIONS

MONTH SPOTTED

	J	F	M	A	M	J	J	A	S	O	N	D

HEAD

SPECIES _____

SEX / AGE _____

BEHAVIOR _____

VOICE _____

BODY _____

LEGS / FEET _____

HABITAT _____

ADDITIONAL NOTES _____

_____

_____

_____

_____

_____

PHOTO / SKETCH

LOCATION

LOCATION NAME _____

GPS COORDINATES _____

WEATHER CONDITIONS

☀ ⛅ 🌧 ⛈ ❄

MONTH SPOTTED

J	F	M	A	M	J	J	A	S	O	N	D

HEAD

SPECIES _____

SEX / AGE _____

BEHAVIOR _____

VOICE _____

BODY _____

LEGS / FEET _____

HABITAT _____

ADDITIONAL NOTES _____

_____

_____

_____

_____

_____

PHOTO / SKETCH

LOCATION

LOCATION NAME ....

GPS COORDINATES ....

WEATHER CONDITIONS

MONTH SPOTTED

	J	F	M	A	M	J	J	A	S	O	N	D

HEAD

SPECIES ....

SEX / AGE ....

BEHAVIOR ....

VOICE ....

BODY ....

LEGS / FEET ....

HABITAT ....

ADDITIONAL NOTES ....

....

....

....

....

....

PHOTO / SKETCH

LOCATION

LOCATION NAME _____

GPS COORDINATES _____

WEATHER CONDITIONS

MONTH SPOTTED

J	F	M	A	M	J	J	A	S	O	N	D

HEAD

SPECIES _____

SEX / AGE _____

BEHAVIOR _____

VOICE _____

BODY _____

LEGS / FEET _____

HABITAT _____

ADDITIONAL NOTES _____

_____

_____

_____

_____

_____

PHOTO / SKETCH

LOCATION

LOCATION NAME ....

GPS COORDINATES ....

HEAD

SPECIES ....

SEX / AGE ....

BEHAVIOR ....

VOICE ....

BODY ....

LEGS / FEET ....

HABITAT ....

ADDITIONAL NOTES ....

....

....

....

....

....

WEATHER CONDITIONS

MONTH SPOTTED

J	F	M	A	M	J	J	A	S	O	N	D

PHOTO / SKETCH

LOCATION

LOCATION NAME _____

GPS COORDINATES _____

WEATHER CONDITIONS

MONTH SPOTTED

J	F	M	A	M	J	J	A	S	O	N	D

HEAD

SPECIES _____

SEX / AGE _____

BEHAVIOR _____

VOICE _____

BODY _____

LEGS / FEET _____

HABITAT _____

ADDITIONAL NOTES _____

_____

_____

_____

_____

_____

PHOTO / SKETCH

LOCATION

LOCATION NAME ....

GPS COORDINATES ....

WEATHER CONDITIONS

MONTH SPOTTED

J	F	M	A	M	J	J	A	S	O	N	D

HEAD

SPECIES ....

SEX / AGE ....

BEHAVIOR ....

VOICE ....

BODY ....

LEGS / FEET ....

HABITAT ....

ADDITIONAL NOTES ....

....

....

....

....

....

PHOTO / SKETCH

LOCATION

LOCATION NAME ------------------------------------

GPS COORDINATES ------------------------------------

WEATHER CONDITIONS

☀ ⛅ ☁ ⛈ ❄

MONTH SPOTTED

J	F	M	A	M	J	J	A	S	O	N	D

HEAD

SPECIES ------------------------------------

SEX / AGE ------------------------------------

BEHAVIOR ------------------------------------

VOICE ------------------------------------

BODY ------------------------------------

LEGS / FEET ------------------------------------

HABITAT ------------------------------------

ADDITIONAL NOTES ------------------------------------

PHOTO / SKETCH

LOCATION

LOCATION NAME ....

GPS COORDINATES ....

WEATHER CONDITIONS

MONTH SPOTTED

J	F	M	A	M	J	J	A	S	O	N	D

HEAD

SPECIES ....

SEX / AGE ....

BEHAVIOR ....

VOICE ....

BODY ....

LEGS / FEET ....

HABITAT ....

ADDITIONAL NOTES ....

PHOTO / SKETCH

LOCATION

HEAD

SPECIES _____

SEX / AGE _____

BEHAVIOR _____

VOICE _____

LOCATION NAME _____

BODY _____

GPS COORDINATES _____

LEGS / FEET _____

HABITAT _____

WEATHER CONDITIONS

ADDITIONAL NOTES _____

_____

_____

_____

_____

MONTH SPOTTED											
J	F	M	A	M	J	J	A	S	O	N	D

PHOTO / SKETCH

LOCATION

LOCATION NAME ....

GPS COORDINATES ....

WEATHER CONDITIONS

MONTH SPOTTED

	J	F	M	A	M	J	J	A	S	O	N	D

HEAD

SPECIES ....

SEX / AGE ....

BEHAVIOR ....

VOICE ....

BODY ....

LEGS / FEET ....

HABITAT ....

ADDITIONAL NOTES ....

....

....

....

....

....

PHOTO / SKETCH

LOCATION

LOCATION NAME _____

GPS COORDINATES _____

WEATHER CONDITIONS

MONTH SPOTTED

J	F	M	A	M	J	J	A	S	O	N	D

HEAD

SPECIES _____

SEX / AGE _____

BEHAVIOR _____

VOICE _____

BODY _____

LEGS / FEET _____

HABITAT _____

ADDITIONAL NOTES _____

_____

_____

_____

_____

_____

PHOTO / SKETCH

LOCATION

LOCATION NAME ....

GPS COORDINATES ....

WEATHER CONDITIONS

MONTH SPOTTED

J	F	M	A	M	J	J	A	S	O	N	D

HEAD

SPECIES ....

SEX / AGE ....

BEHAVIOR ....

VOICE ....

BODY ....

LEGS / FEET ....

HABITAT ....

ADDITIONAL NOTES ....

....

....

....

....

....

PHOTO / SKETCH

LOCATION

LOCATION NAME

GPS COORDINATES

WEATHER CONDITIONS

MONTH SPOTTED

J	F	M	A	M	J	J	A	S	O	N	D

HEAD

SPECIES

SEX / AGE

BEHAVIOR

VOICE

BODY

LEGS / FEET

HABITAT

ADDITIONAL NOTES

PHOTO / SKETCH

LOCATION

LOCATION NAME _____

GPS COORDINATES _____

WEATHER CONDITIONS

MONTH SPOTTED

J	F	M	A	M	J	J	A	S	O	N	D

HEAD

SPECIES _____

SEX / AGE _____

BEHAVIOR _____

VOICE _____

BODY _____

LEGS / FEET _____

HABITAT _____

ADDITIONAL NOTES _____

_____

_____

_____

_____

_____

PHOTO / SKETCH

LOCATION

LOCATION NAME _____

GPS COORDINATES _____

WEATHER CONDITIONS

MONTH SPOTTED

J	F	M	A	M	J	J	A	S	O	N	D

HEAD

SPECIES _____

SEX / AGE _____

BEHAVIOR _____

VOICE _____

BODY _____

LEGS / FEET _____

HABITAT _____

ADDITIONAL NOTES _____
_____
_____
_____
_____
_____

PHOTO / SKETCH

LOCATION

LOCATION NAME

GPS COORDINATES

WEATHER CONDITIONS

MONTH SPOTTED

J	F	M	A	M	J	J	A	S	O	N	D

HEAD

SPECIES

SEX / AGE

BEHAVIOR

VOICE

BODY

LEGS / FEET

HABITAT

ADDITIONAL NOTES

PHOTO / SKETCH

LOCATION

LOCATION NAME

GPS COORDINATES

WEATHER CONDITIONS

MONTH SPOTTED

	J	F	M	A	M	J	J	A	S	O	N	D

HEAD

SPECIES

SEX / AGE

BEHAVIOR

VOICE

BODY

LEGS / FEET

HABITAT

ADDITIONAL NOTES

PHOTO / SKETCH

LOCATION

LOCATION NAME _____

GPS COORDINATES _____

WEATHER CONDITIONS

MONTH SPOTTED

	J	F	M	A	M	J	J	A	S	O	N	D

HEAD

SPECIES _____

SEX / AGE _____

BEHAVIOR _____

VOICE _____

BODY _____

LEGS / FEET _____

HABITAT _____

ADDITIONAL NOTES _____

_____

_____

_____

_____

_____

_____

PHOTO / SKETCH

LOCATION

LOCATION NAME ....

GPS COORDINATES ....

WEATHER CONDITIONS

MONTH SPOTTED

J	F	M	A	M	J	J	A	S	O	N	D

HEAD

SPECIES ....

SEX / AGE ....

BEHAVIOR ....

VOICE ....

BODY ....

LEGS / FEET ....

HABITAT ....

ADDITIONAL NOTES ....

PHOTO / SKETCH

LOCATION

HEAD

SPECIES _____

SEX / AGE _____

BEHAVIOR _____

VOICE _____

LOCATION NAME _____ BODY _____

GPS COORDINATES _____ LEGS / FEET _____

HABITAT _____

WEATHER CONDITIONS

☼ ⛅ 🌧 ⛈ ❄

ADDITIONAL NOTES _____

_____

_____

MONTH SPOTTED

	J	F	M	A	M	J	J	A	S	O	N	D

_____

_____

_____

PHOTO / SKETCH

LOCATION

LOCATION NAME _____

GPS COORDINATES _____

WEATHER CONDITIONS

☀ ⛅ 🌧 ⛈ ❄

▢ ▢ ▢ ▢ ▢

MONTH SPOTTED

J	F	M	A	M	J	J	A	S	O	N	D

HEAD

SPECIES _____

SEX / AGE _____

BEHAVIOR _____

VOICE _____

BODY _____

LEGS / FEET _____

HABITAT _____

ADDITIONAL NOTES _____

_____

_____

_____

_____

_____

PHOTO / SKETCH

LOCATION

LOCATION NAME _____

GPS COORDINATES _____

WEATHER CONDITIONS

MONTH SPOTTED

J	F	M	A	M	J	J	A	S	O	N	D

HEAD

SPECIES _____

SEX / AGE _____

BEHAVIOR _____

VOICE _____

BODY _____

LEGS / FEET _____

HABITAT _____

ADDITIONAL NOTES _____

_____

_____

_____

_____

_____

PHOTO / SKETCH

LOCATION

LOCATION NAME ....

GPS COORDINATES ....

HEAD

SPECIES ....

SEX / AGE ....

BEHAVIOR ....

VOICE ....

BODY ....

LEGS / FEET ....

HABITAT ....

WEATHER CONDITIONS

☀ ⛅ 🌧 ⛈ ❄

☐ ☐ ☐ ☐ ☐

ADDITIONAL NOTES ....

....

....

....

....

....

MONTH SPOTTED

J	F	M	A	M	J	J	A	S	O	N	D

PHOTO / SKETCH

LOCATION

LOCATION NAME ....

GPS COORDINATES ....

HEAD

SPECIES ....

SEX / AGE ....

BEHAVIOR ....

VOICE ....

BODY ....

LEGS / FEET ....

HABITAT ....

WEATHER CONDITIONS

ADDITIONAL NOTES ....

....

....

....

....

....

MONTH SPOTTED

J	F	M	A	M	J	J	A	S	O	N	D

PHOTO / SKETCH

LOCATION

LOCATION NAME

GPS COORDINATES

WEATHER CONDITIONS

MONTH SPOTTED

J	F	M	A	M	J	J	A	S	O	N	D

HEAD

SPECIES

SEX / AGE

BEHAVIOR

VOICE

BODY

LEGS / FEET

HABITAT

ADDITIONAL NOTES

PHOTO / SKETCH

LOCATION

LOCATION NAME _____

GPS COORDINATES _____

WEATHER CONDITIONS

MONTH SPOTTED

J	F	M	A	M	J	J	A	S	O	N	D

HEAD

SPECIES _____

SEX / AGE _____

BEHAVIOR _____

VOICE _____

BODY _____

LEGS / FEET _____

HABITAT _____

ADDITIONAL NOTES _____

_____

_____

_____

_____

_____

PHOTO / SKETCH

LOCATION

LOCATION NAME _____

GPS COORDINATES _____

WEATHER CONDITIONS

MONTH SPOTTED

J	F	M	A	M	J	J	A	S	O	N	D

HEAD

SPECIES _____

SEX / AGE _____

BEHAVIOR _____

VOICE _____

BODY _____

LEGS / FEET _____

HABITAT _____

ADDITIONAL NOTES _____

_____

_____

_____

_____

_____

PHOTO / SKETCH

LOCATION

LOCATION NAME _____

GPS COORDINATES _____

WEATHER CONDITIONS

MONTH SPOTTED

	J	F	M	A	M	J	J	A	S	O	N	D

HEAD

SPECIES _____

SEX / AGE _____

BEHAVIOR _____

VOICE _____

BODY _____

LEGS / FEET _____

HABITAT _____

ADDITIONAL NOTES _____

_____

_____

_____

_____

_____

_____

PHOTO / SKETCH

LOCATION

LOCATION NAME _____

GPS COORDINATES _____

WEATHER CONDITIONS

MONTH SPOTTED

J	F	M	A	M	J	J	A	S	O	N	D

HEAD

SPECIES _____

SEX / AGE _____

BEHAVIOR _____

VOICE _____

BODY _____

LEGS / FEET _____

HABITAT _____

ADDITIONAL NOTES _____

_____

_____

_____

_____

_____

PHOTO / SKETCH

LOCATION

LOCATION NAME _____

GPS COORDINATES _____

WEATHER CONDITIONS

MONTH SPOTTED

J	F	M	A	M	J	J	A	S	O	N	D

HEAD

SPECIES _____

SEX / AGE _____

BEHAVIOR _____

VOICE _____

BODY _____

LEGS / FEET _____

HABITAT _____

ADDITIONAL NOTES _____

PHOTO / SKETCH

LOCATION

LOCATION NAME _____

GPS COORDINATES _____

WEATHER CONDITIONS

MONTH SPOTTED

	J	F	M	A	M	J	J	A	S	O	N	D

HEAD

SPECIES _____

SEX / AGE _____

BEHAVIOR _____

VOICE _____

BODY _____

LEGS / FEET _____

HABITAT _____

ADDITIONAL NOTES _____

_____

_____

_____

_____

_____

PHOTO / SKETCH

LOCATION

LOCATION NAME ....

GPS COORDINATES ....

WEATHER CONDITIONS

MONTH SPOTTED

J	F	M	A	M	J	J	A	S	O	N	D

HEAD

SPECIES ....

SEX / AGE ....

BEHAVIOR ....

VOICE ....

BODY ....

LEGS / FEET ....

HABITAT ....

ADDITIONAL NOTES ....

....

....

....

....

....

....

PHOTO / SKETCH

LOCATION

HEAD

SPECIES _____

SEX / AGE _____

BEHAVIOR _____

VOICE _____

LOCATION NAME _____

BODY _____

GPS COORDINATES _____

LEGS / FEET _____

HABITAT _____

WEATHER CONDITIONS

ADDITIONAL NOTES _____

_____

_____

_____

MONTH SPOTTED

	J	F	M	A	M	J	J	A	S	O	N	D

_____

PHOTO / SKETCH

LOCATION

LOCATION NAME _____

GPS COORDINATES _____

WEATHER CONDITIONS

MONTH SPOTTED

J	F	M	A	M	J	J	A	S	O	N	D

HEAD

SPECIES _____

SEX / AGE _____

BEHAVIOR _____

VOICE _____

BODY _____

LEGS / FEET _____

HABITAT _____

ADDITIONAL NOTES _____

_____

_____

_____

_____

_____

PHOTO / SKETCH

LOCATION

LOCATION NAME _____

GPS COORDINATES _____

HEAD

SPECIES _____

SEX / AGE _____

BEHAVIOR _____

VOICE _____

BODY _____

LEGS / FEET _____

HABITAT _____

WEATHER CONDITIONS

ADDITIONAL NOTES

_____

_____

_____

_____

_____

MONTH SPOTTED

J	F	M	A	M	J	J	A	S	O	N	D

PHOTO / SKETCH

LOCATION

LOCATION NAME --

GPS COORDINATES --

WEATHER CONDITIONS

MONTH SPOTTED

J	F	M	A	M	J	J	A	S	O	N	D

HEAD

SPECIES --

SEX / AGE --

BEHAVIOR --

VOICE --

BODY --

LEGS / FEET --

HABITAT --

ADDITIONAL NOTES --

PHOTO / SKETCH

LOCATION

LOCATION NAME _____

GPS COORDINATES _____

WEATHER CONDITIONS

MONTH SPOTTED

J	F	M	A	M	J	J	A	S	O	N	D

HEAD

SPECIES _____

SEX / AGE _____

BEHAVIOR _____

VOICE _____

BODY _____

LEGS / FEET _____

HABITAT _____

ADDITIONAL NOTES

_____

_____

_____

_____

_____

_____

PHOTO / SKETCH

LOCATION

HEAD

SPECIES _____

SEX / AGE _____

BEHAVIOR _____

VOICE _____

LOCATION NAME _____

BODY _____

GPS COORDINATES _____

LEGS / FEET _____

HABITAT _____

WEATHER CONDITIONS

ADDITIONAL NOTES _____

_____

_____

_____

_____

_____

_____

MONTH SPOTTED

J	F	M	A	M	J	J	A	S	O	N	D

PHOTO / SKETCH

LOCATION

LOCATION NAME _____

GPS COORDINATES _____

WEATHER CONDITIONS

MONTH SPOTTED

	J	F	M	A	M	J	J	A	S	O	N	D

HEAD

SPECIES _____

SEX / AGE _____

BEHAVIOR _____

VOICE _____

BODY _____

LEGS / FEET _____

HABITAT _____

ADDITIONAL NOTES _____

_____

_____

_____

_____

_____

PHOTO / SKETCH

LOCATION

LOCATION NAME _____

GPS COORDINATES _____

HEAD

SPECIES _____

SEX / AGE _____

BEHAVIOR _____

VOICE _____

BODY _____

LEGS / FEET _____

HABITAT _____

WEATHER CONDITIONS

ADDITIONAL NOTES _____

_____

_____

_____

_____

_____

_____

MONTH SPOTTED

J	F	M	A	M	J	J	A	S	O	N	D

PHOTO / SKETCH

LOCATION

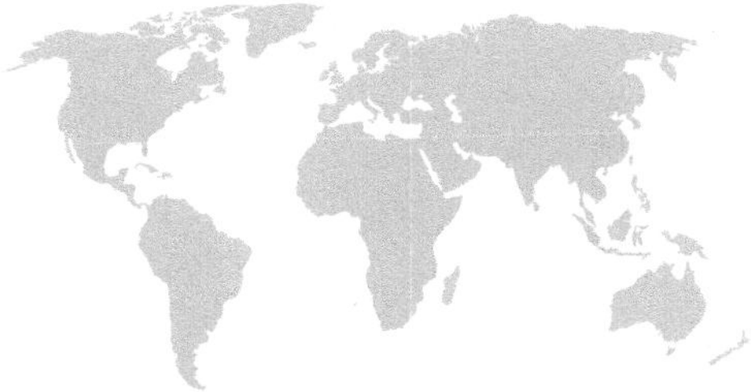

LOCATION NAME

GPS COORDINATES

WEATHER CONDITIONS

MONTH SPOTTED

	J	F	M	A	M	J	J	A	S	O	N	D

HEAD

SPECIES

SEX / AGE

BEHAVIOR

VOICE

BODY

LEGS / FEET

HABITAT

ADDITIONAL NOTES

PHOTO / SKETCH

LOCATION

LOCATION NAME ....

GPS COORDINATES ....

WEATHER CONDITIONS

MONTH SPOTTED

J	F	M	A	M	J	J	A	S	O	N	D

HEAD

SPECIES ....

SEX / AGE ....

BEHAVIOR ....

VOICE ....

BODY ....

LEGS / FEET ....

HABITAT ....

ADDITIONAL NOTES ....

....

....

....

....

....

....

PHOTO / SKETCH

LOCATION

LOCATION NAME ....

GPS COORDINATES ....

WEATHER CONDITIONS

MONTH SPOTTED

J	F	M	A	M	J	J	A	S	O	N	D

HEAD

SPECIES ....

SEX / AGE ....

BEHAVIOR ....

VOICE ....

BODY ....

LEGS / FEET ....

HABITAT ....

ADDITIONAL NOTES ....

....

....

....

....

....

PHOTO / SKETCH

LOCATION

HEAD

SPECIES ....

SEX / AGE ....

BEHAVIOR ....

VOICE ....

LOCATION NAME ....

BODY ....

GPS COORDINATES ....

LEGS / FEET ....

HABITAT ....

WEATHER CONDITIONS

ADDITIONAL NOTES ....

....

....

....

....

....

....

MONTH SPOTTED

J	F	M	A	M	J	J	A	S	O	N	D

PHOTO / SKETCH

LOCATION

HEAD

SPECIES ....

SEX / AGE ....

BEHAVIOR ....

VOICE ....

LOCATION NAME .... BODY ....

GPS COORDINATES .... LEGS / FEET ....

HABITAT ....

WEATHER CONDITIONS

ADDITIONAL NOTES ....

....

....

....

....

....

MONTH SPOTTED

J	F	M	A	M	J	J	A	S	O	N	D

PHOTO / SKETCH

LOCATION

LOCATION NAME ---------------------------------

GPS COORDINATES ---------------------------------

HEAD

SPECIES ---------------------------------

SEX / AGE ---------------------------------

BEHAVIOR ---------------------------------

VOICE ---------------------------------

BODY ---------------------------------

LEGS / FEET ---------------------------------

HABITAT ---------------------------------

WEATHER CONDITIONS

ADDITIONAL NOTES ---------------------------------

MONTH SPOTTED

J	F	M	A	M	J	J	A	S	O	N	D

PHOTO / SKETCH

LOCATION

LOCATION NAME _____

GPS COORDINATES _____

WEATHER CONDITIONS

MONTH SPOTTED

	J	F	M	A	M	J	J	A	S	O	N	D

HEAD

SPECIES _____

SEX / AGE _____

BEHAVIOR _____

VOICE _____

BODY _____

LEGS / FEET _____

HABITAT _____

ADDITIONAL NOTES _____

_____

_____

_____

_____

_____

PHOTO / SKETCH

LOCATION

LOCATION NAME _____

GPS COORDINATES _____

WEATHER CONDITIONS

🌡 _____ ☀ ⛅ 🌧 ⛈ ❄

🚩 _____ ☐ ☐ ☐ ☐ ☐

MONTH SPOTTED

J	F	M	A	M	J	J	A	S	O	N	D

HEAD

SPECIES _____

SEX / AGE _____

BEHAVIOR _____

VOICE _____

BODY _____

LEGS / FEET _____

HABITAT _____

ADDITIONAL NOTES _____

_____

_____

_____

_____

_____

PHOTO / SKETCH

LOCATION

LOCATION NAME _____

GPS COORDINATES _____

HEAD

SPECIES _____

SEX / AGE _____

BEHAVIOR _____

VOICE _____

BODY _____

LEGS / FEET _____

HABITAT _____

WEATHER CONDITIONS

ADDITIONAL NOTES _____

_____

_____

_____

_____

_____

MONTH SPOTTED

J	F	M	A	M	J	J	A	S	O	N	D

PHOTO / SKETCH

LOCATION

LOCATION NAME _____

GPS COORDINATES _____

WEATHER CONDITIONS

🌡️ —— ☀️ ⛅ 🌧️ ⛈️ ❄️

🎏 —— ☐ ☐ ☐ ☐ ☐

MONTH SPOTTED

J	F	M	A	M	J	J	A	S	O	N	D

HEAD

SPECIES _____

SEX / AGE _____

BEHAVIOR _____

VOICE _____

BODY _____

LEGS / FEET _____

HABITAT _____

ADDITIONAL NOTES _____

_____

_____

_____

_____

_____

PHOTO / SKETCH

LOCATION

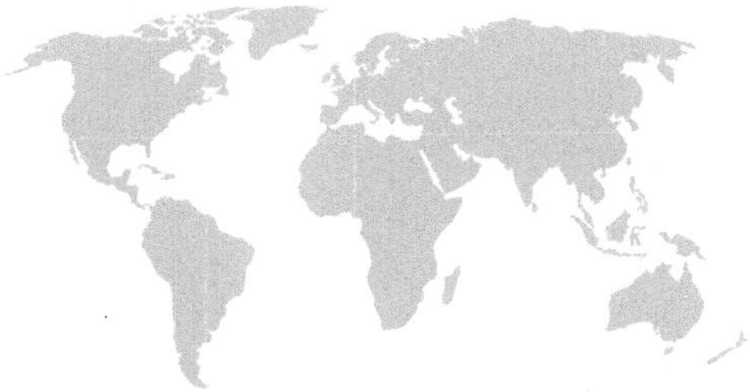

HEAD

SPECIES ....

SEX / AGE ....

BEHAVIOR ....

VOICE ....

LOCATION NAME ....

BODY ....

GPS COORDINATES ....

LEGS / FEET ....

HABITAT ....

WEATHER CONDITIONS

ADDITIONAL NOTES ....

....

....

....

MONTH SPOTTED

	J	F	M	A	M	J	J	A	S	O	N	D

....

....

PHOTO / SKETCH

LOCATION

LOCATION NAME ....

GPS COORDINATES ....

WEATHER CONDITIONS

MONTH SPOTTED

J	F	M	A	M	J	J	A	S	O	N	D

HEAD

SPECIES ....

SEX / AGE ....

BEHAVIOR ....

VOICE ....

BODY ....

LEGS / FEET ....

HABITAT ....

ADDITIONAL NOTES ....

....

....

....

....

....

PHOTO / SKETCH

LOCATION

LOCATION NAME _____

GPS COORDINATES _____

WEATHER CONDITIONS

MONTH SPOTTED

J	F	M	A	M	J	J	A	S	O	N	D

HEAD

SPECIES _____

SEX / AGE _____

BEHAVIOR _____

VOICE _____

BODY _____

LEGS / FEET _____

HABITAT _____

ADDITIONAL NOTES _____

_____

_____

_____

_____

_____

_____

PHOTO / SKETCH

LOCATION

LOCATION NAME _____

GPS COORDINATES _____

HEAD

SPECIES _____

SEX / AGE _____

BEHAVIOR _____

VOICE _____

BODY _____

LEGS / FEET _____

HABITAT _____

WEATHER CONDITIONS

ADDITIONAL NOTES _____

_____

_____

_____

_____

_____

MONTH SPOTTED

J	F	M	A	M	J	J	A	S	O	N	D

PHOTO / SKETCH

LOCATION

LOCATION NAME ....

GPS COORDINATES ....

WEATHER CONDITIONS

MONTH SPOTTED

J	F	M	A	M	J	J	A	S	O	N	D

HEAD

SPECIES ....

SEX / AGE ....

BEHAVIOR ....

VOICE ....

BODY ....

LEGS / FEET ....

HABITAT ....

ADDITIONAL NOTES ....

....

....

....

....

....

PHOTO / SKETCH

LOCATION

LOCATION NAME _____

GPS COORDINATES _____

HEAD

SPECIES _____

SEX / AGE _____

BEHAVIOR _____

VOICE _____

BODY _____

LEGS / FEET _____

HABITAT _____

WEATHER CONDITIONS

ADDITIONAL NOTES _____

_____

_____

_____

_____

_____

MONTH SPOTTED

J	F	M	A	M	J	J	A	S	O	N	D

PHOTO / SKETCH

LOCATION

LOCATION NAME

GPS COORDINATES

WEATHER CONDITIONS

MONTH SPOTTED

J	F	M	A	M	J	J	A	S	O	N	D

HEAD

SPECIES

SEX / AGE

BEHAVIOR

VOICE

BODY

LEGS / FEET

HABITAT

ADDITIONAL NOTES

PHOTO / SKETCH

LOCATION

LOCATION NAME _____

GPS COORDINATES _____

WEATHER CONDITIONS

MONTH SPOTTED

J	F	M	A	M	J	J	A	S	O	N	D

HEAD

SPECIES _____

SEX / AGE _____

BEHAVIOR _____

VOICE _____

BODY _____

LEGS / FEET _____

HABITAT _____

ADDITIONAL NOTES _____

_____

_____

_____

_____

_____

PHOTO / SKETCH

LOCATION

LOCATION NAME _____

GPS COORDINATES _____

WEATHER CONDITIONS

MONTH SPOTTED

J	F	M	A	M	J	J	A	S	O	N	D

HEAD

SPECIES _____

SEX / AGE _____

BEHAVIOR _____

VOICE _____

BODY _____

LEGS / FEET _____

HABITAT _____

ADDITIONAL NOTES _____

PHOTO / SKETCH

LOCATION

HEAD

SPECIES ....

SEX / AGE ....

BEHAVIOR ....

VOICE ....

LOCATION NAME ....

BODY ....

GPS COORDINATES ....

LEGS / FEET ....

HABITAT ....

WEATHER CONDITIONS

ADDITIONAL NOTES

....

....

....

....

....

....

MONTH SPOTTED

J	F	M	A	M	J	J	A	S	O	N	D

PHOTO / SKETCH

LOCATION

LOCATION NAME _____

GPS COORDINATES _____

WEATHER CONDITIONS

MONTH SPOTTED

J	F	M	A	M	J	J	A	S	O	N	D

HEAD

SPECIES _____

SEX / AGE _____

BEHAVIOR _____

VOICE _____

BODY _____

LEGS / FEET _____

HABITAT _____

ADDITIONAL NOTES _____

_____

_____

_____

_____

_____

_____

PHOTO / SKETCH

LOCATION

LOCATION NAME _____

GPS COORDINATES _____

WEATHER CONDITIONS

MONTH SPOTTED

	J	F	M	A	M	J	J	A	S	O	N	D

HEAD

SPECIES _____

SEX / AGE _____

BEHAVIOR _____

VOICE _____

BODY _____

LEGS / FEET _____

HABITAT _____

ADDITIONAL NOTES _____

_____

_____

_____

_____

_____

PHOTO / SKETCH

LOCATION

LOCATION NAME _____

GPS COORDINATES _____

HEAD

SPECIES _____

SEX / AGE _____

BEHAVIOR _____

VOICE _____

BODY _____

LEGS / FEET _____

HABITAT _____

ADDITIONAL NOTES _____

_____

_____

_____

_____

_____

WEATHER CONDITIONS

MONTH SPOTTED

J	F	M	A	M	J	J	A	S	O	N	D

PHOTO / SKETCH

LOCATION

LOCATION NAME ....

GPS COORDINATES ....

WEATHER CONDITIONS

MONTH SPOTTED

J	F	M	A	M	J	J	A	S	O	N	D

HEAD

SPECIES ....

SEX / AGE ....

BEHAVIOR ....

VOICE ....

BODY ....

LEGS / FEET ....

HABITAT ....

ADDITIONAL NOTES
....

....

....

....

....

....

PHOTO / SKETCH

LOCATION

LOCATION NAME _____

GPS COORDINATES _____

HEAD

SPECIES _____

SEX / AGE _____

BEHAVIOR _____

VOICE _____

BODY _____

LEGS / FEET _____

HABITAT _____

WEATHER CONDITIONS

ADDITIONAL NOTES _____

_____

_____

_____

_____

_____

_____

MONTH SPOTTED

J	F	M	A	M	J	J	A	S	O	N	D

PHOTO / SKETCH

LOCATION

LOCATION NAME ....

GPS COORDINATES ....

WEATHER CONDITIONS

MONTH SPOTTED

J	F	M	A	M	J	J	A	S	O	N	D

HEAD

SPECIES ....

SEX / AGE ....

BEHAVIOR ....

VOICE ....

BODY ....

LEGS / FEET ....

HABITAT ....

ADDITIONAL NOTES ....

....

....

....

....

....

PHOTO / SKETCH

LOCATION

HEAD

SPECIES ....

SEX / AGE ....

BEHAVIOR ....

VOICE ....

LOCATION NAME ....

BODY ....

GPS COORDINATES ....

LEGS / FEET ....

HABITAT ....

WEATHER CONDITIONS

ADDITIONAL NOTES ....

....

....

....

....

....

MONTH SPOTTED

J	F	M	A	M	J	J	A	S	O	N	D

PHOTO / SKETCH

LOCATION

LOCATION NAME _____

GPS COORDINATES _____

WEATHER CONDITIONS

🌡 ____ ☀ ⛅ 🌧 ⛈ ❄

🎏 ____ ☐ ☐ ☐ ☐ ☐

MONTH SPOTTED

J	F	M	A	M	J	J	A	S	O	N	D

HEAD

SPECIES _____

SEX / AGE _____

BEHAVIOR _____

VOICE _____

BODY _____

LEGS / FEET _____

HABITAT _____

ADDITIONAL NOTES _____

_____

_____

_____

_____

_____

_____

PHOTO / SKETCH

LOCATION

LOCATION NAME _____

GPS COORDINATES _____

WEATHER CONDITIONS

MONTH SPOTTED

	J	F	M	A	M	J	J	A	S	O	N	D

HEAD

SPECIES _____

SEX / AGE _____

BEHAVIOR _____

VOICE _____

BODY _____

LEGS / FEET _____

HABITAT _____

ADDITIONAL NOTES _____

_____

_____

_____

_____

_____

_____

PHOTO / SKETCH

LOCATION

LOCATION NAME ....

GPS COORDINATES ....

WEATHER CONDITIONS

HEAD

SPECIES ....

SEX / AGE ....

BEHAVIOR ....

VOICE ....

BODY ....

LEGS / FEET ....

HABITAT ....

ADDITIONAL NOTES ....

....

....

....

....

....

....

MONTH SPOTTED

J	F	M	A	M	J	J	A	S	O	N	D

PHOTO / SKETCH

LOCATION

LOCATION NAME _____

GPS COORDINATES _____

WEATHER CONDITIONS

☀ ⛅ 🌧 ⛈ ❄

▢ ▢ ▢ ▢ ▢

MONTH SPOTTED

J	F	M	A	M	J	J	A	S	O	N	D

HEAD

SPECIES _____

SEX / AGE _____

BEHAVIOR _____

VOICE _____

BODY _____

LEGS / FEET _____

HABITAT _____

ADDITIONAL NOTES _____

_____

_____

_____

_____

_____

PHOTO / SKETCH

LOCATION

LOCATION NAME ....

GPS COORDINATES ....

WEATHER CONDITIONS

MONTH SPOTTED

J	F	M	A	M	J	J	A	S	O	N	D

HEAD

SPECIES ....

SEX / AGE ....

BEHAVIOR ....

VOICE ....

BODY ....

LEGS / FEET ....

HABITAT ....

ADDITIONAL NOTES ....

....

....

....

....

....

....

PHOTO / SKETCH

LOCATION

LOCATION NAME ....

GPS COORDINATES ....

WEATHER CONDITIONS

MONTH SPOTTED

J	F	M	A	M	J	J	A	S	O	N	D

HEAD

SPECIES ....

SEX / AGE ....

BEHAVIOR ....

VOICE ....

BODY ....

LEGS / FEET ....

HABITAT ....

ADDITIONAL NOTES ....

....

....

....

....

....

PHOTO / SKETCH

LOCATION

LOCATION NAME ....

GPS COORDINATES ....

WEATHER CONDITIONS

MONTH SPOTTED

	J	F	M	A	M	J	J	A	S	O	N	D

HEAD

SPECIES ....

SEX / AGE ....

BEHAVIOR ....

VOICE ....

BODY ....

LEGS / FEET ....

HABITAT ....

ADDITIONAL NOTES ....

....

....

....

....

....

PHOTO / SKETCH

LOCATION

LOCATION NAME _____

GPS COORDINATES _____

WEATHER CONDITIONS

MONTH SPOTTED

	J	F	M	A	M	J	J	A	S	O	N	D

HEAD

SPECIES _____

SEX / AGE _____

BEHAVIOR _____

VOICE _____

BODY _____

LEGS / FEET _____

HABITAT _____

ADDITIONAL NOTES _____

_____

_____

_____

_____

_____

PHOTO / SKETCH

LOCATION

LOCATION NAME ....

GPS COORDINATES ....

WEATHER CONDITIONS

MONTH SPOTTED

J	F	M	A	M	J	J	A	S	O	N	D

HEAD

SPECIES ....

SEX / AGE ....

BEHAVIOR ....

VOICE ....

BODY ....

LEGS / FEET ....

HABITAT ....

ADDITIONAL NOTES ....

....

....

....

....

....

PHOTO / SKETCH

LOCATION

LOCATION NAME _____

GPS COORDINATES _____

WEATHER CONDITIONS

MONTH SPOTTED

J	F	M	A	M	J	J	A	S	O	N	D

HEAD

SPECIES _____

SEX / AGE _____

BEHAVIOR _____

VOICE _____

BODY _____

LEGS / FEET _____

HABITAT _____

ADDITIONAL NOTES _____

_____

_____

_____

_____

_____

PHOTO / SKETCH

LOCATION

LOCATION NAME ....

GPS COORDINATES ....

WEATHER CONDITIONS

🌡 ——

🏳 —— ☀️ ⛅ 🌧 ⛈ ❄️

☐ ☐ ☐ ☐ ☐

MONTH SPOTTED

J	F	M	A	M	J	J	A	S	O	N	D

HEAD

SPECIES ....

SEX / AGE ....

BEHAVIOR ....

VOICE ....

BODY ....

LEGS / FEET ....

HABITAT ....

ADDITIONAL NOTES ....

....

....

....

....

....

PHOTO / SKETCH

LOCATION

LOCATION NAME ....

GPS COORDINATES ....

WEATHER CONDITIONS

MONTH SPOTTED

J	F	M	A	M	J	J	A	S	O	N	D

HEAD

SPECIES ....

SEX / AGE ....

BEHAVIOR ....

VOICE ....

BODY ....

LEGS / FEET ....

HABITAT ....

ADDITIONAL NOTES ....

....

....

....

....

....

PHOTO / SKETCH

LOCATION

LOCATION NAME _____

GPS COORDINATES _____

WEATHER CONDITIONS

MONTH SPOTTED

	J	F	M	A	M	J	J	A	S	O	N	D

HEAD

SPECIES _____

SEX / AGE _____

BEHAVIOR _____

VOICE _____

BODY _____

LEGS / FEET _____

HABITAT _____

ADDITIONAL NOTES _____

_____

_____

_____

_____

_____

_____

PHOTO / SKETCH

LOCATION

HEAD

SPECIES ------------------------------

SEX / AGE ------------------------------

BEHAVIOR ------------------------------

VOICE ------------------------------

LOCATION NAME ------------------------------

BODY ------------------------------

GPS COORDINATES ------------------------------

LEGS / FEET ------------------------------

HABITAT ------------------------------

WEATHER CONDITIONS

ADDITIONAL NOTES ------------------------------

MONTH SPOTTED

J	F	M	A	M	J	J	A	S	O	N	D

PHOTO / SKETCH

LOCATION

LOCATION NAME ....

GPS COORDINATES ....

WEATHER CONDITIONS

MONTH SPOTTED

	J	F	M	A	M	J	J	A	S	O	N	D

HEAD

SPECIES ....

SEX / AGE ....

BEHAVIOR ....

VOICE ....

BODY ....

LEGS / FEET ....

HABITAT ....

ADDITIONAL NOTES ....

....

....

....

....

....

PHOTO / SKETCH

LOCATION

LOCATION NAME _____

GPS COORDINATES _____

WEATHER CONDITIONS

MONTH SPOTTED

	J	F	M	A	M	J	J	A	S	O	N	D

HEAD

SPECIES _____

SEX / AGE _____

BEHAVIOR _____

VOICE _____

BODY _____

LEGS / FEET _____

HABITAT _____

ADDITIONAL NOTES _____

_____

_____

_____

_____

_____

_____

PHOTO / SKETCH

LOCATION

HEAD

SPECIES _____

SEX / AGE _____

BEHAVIOR _____

VOICE _____

LOCATION NAME _____

BODY _____

GPS COORDINATES _____

LEGS / FEET _____

HABITAT _____

WEATHER CONDITIONS

ADDITIONAL NOTES _____

_____

_____

MONTH SPOTTED

J	F	M	A	M	J	J	A	S	O	N	D

_____

_____

_____

PHOTO / SKETCH

LOCATION

LOCATION NAME _____

GPS COORDINATES _____

WEATHER CONDITIONS

MONTH SPOTTED

J	F	M	A	M	J	J	A	S	O	N	D

HEAD

SPECIES _____

SEX / AGE _____

BEHAVIOR _____

VOICE _____

BODY _____

LEGS / FEET _____

HABITAT _____

ADDITIONAL NOTES _____

_____

_____

_____

_____

_____

PHOTO / SKETCH

LOCATION

LOCATION NAME ....

GPS COORDINATES ....

WEATHER CONDITIONS

MONTH SPOTTED

J	F	M	A	M	J	J	A	S	O	N	D

HEAD

SPECIES ....

SEX / AGE ....

BEHAVIOR ....

VOICE ....

BODY ....

LEGS / FEET ....

HABITAT ....

ADDITIONAL NOTES ....

....

....

....

....

....

PHOTO / SKETCH

LOCATION

LOCATION NAME _____

GPS COORDINATES _____

HEAD

SPECIES _____

SEX / AGE _____

BEHAVIOR _____

VOICE _____

BODY _____

LEGS / FEET _____

HABITAT _____

WEATHER CONDITIONS

ADDITIONAL NOTES _____

_____

_____

_____

_____

_____

_____

MONTH SPOTTED

J	F	M	A	M	J	J	A	S	O	N	D

PHOTO / SKETCH

LOCATION

LOCATION NAME

GPS COORDINATES

WEATHER CONDITIONS

MONTH SPOTTED

J	F	M	A	M	J	J	A	S	O	N	D

HEAD

SPECIES

SEX / AGE

BEHAVIOR

VOICE

BODY

LEGS / FEET

HABITAT

ADDITIONAL NOTES

PHOTO / SKETCH

LOCATION

LOCATION NAME _____

GPS COORDINATES _____

HEAD

SPECIES _____

SEX / AGE _____

BEHAVIOR _____

VOICE _____

BODY _____

LEGS / FEET _____

HABITAT _____

ADDITIONAL NOTES _____

_____

_____

_____

_____

_____

WEATHER CONDITIONS

MONTH SPOTTED

J	F	M	A	M	J	J	A	S	O	N	D

PHOTO / SKETCH

LOCATION

LOCATION NAME ....

GPS COORDINATES ....

WEATHER CONDITIONS

MONTH SPOTTED

J	F	M	A	M	J	J	A	S	O	N	D

HEAD

SPECIES ....

SEX / AGE ....

BEHAVIOR ....

VOICE ....

BODY ....

LEGS / FEET ....

HABITAT ....

ADDITIONAL NOTES ....

....

....

....

....

....

....

PHOTO / SKETCH

LOCATION

LOCATION NAME ----------------------------------

GPS COORDINATES ----------------------------------

WEATHER CONDITIONS

MONTH SPOTTED

J	F	M	A	M	J	J	A	S	O	N	D

HEAD

SPECIES ----------------------------------

SEX / AGE ----------------------------------

BEHAVIOR ----------------------------------

VOICE ----------------------------------

BODY ----------------------------------

LEGS / FEET ----------------------------------

HABITAT ----------------------------------

ADDITIONAL NOTES ----------------------------------

PHOTO / SKETCH

LOCATION

LOCATION NAME _____

GPS COORDINATES _____

HEAD

SPECIES _____

SEX / AGE _____

BEHAVIOR _____

VOICE _____

BODY _____

LEGS / FEET _____

HABITAT _____

WEATHER CONDITIONS

🌡 _____ ☀ ⛅ 🌧 ⛈ ❄

🏴 _____ ☐ ☐ ☐ ☐ ☐

ADDITIONAL NOTES _____

_____

_____

_____

_____

_____

MONTH SPOTTED

J	F	M	A	M	J	J	A	S	O	N	D

PHOTO / SKETCH

LOCATION

LOCATION NAME ....

GPS COORDINATES ....

WEATHER CONDITIONS

MONTH SPOTTED

	J	F	M	A	M	J	J	A	S	O	N	D

HEAD

SPECIES ....

SEX / AGE ....

BEHAVIOR ....

VOICE ....

BODY ....

LEGS / FEET ....

HABITAT ....

ADDITIONAL NOTES ....

....

....

....

....

....

PHOTO / SKETCH

LOCATION

LOCATION NAME _____

GPS COORDINATES _____

WEATHER CONDITIONS

MONTH SPOTTED

J	F	M	A	M	J	J	A	S	O	N	D

HEAD

SPECIES _____

SEX / AGE _____

BEHAVIOR _____

VOICE _____

BODY _____

LEGS / FEET _____

HABITAT _____

ADDITIONAL NOTES _____

_____

_____

_____

_____

_____

PHOTO / SKETCH

LOCATION

HEAD

SPECIES _____

SEX / AGE _____

BEHAVIOR _____

VOICE _____

LOCATION NAME _____

BODY _____

GPS COORDINATES _____

LEGS / FEET _____

HABITAT _____

WEATHER CONDITIONS

ADDITIONAL NOTES _____

_____

_____

_____

_____

_____

MONTH SPOTTED

J	F	M	A	M	J	J	A	S	O	N	D

PHOTO / SKETCH

LOCATION

HEAD

SPECIES _____

SEX / AGE _____

BEHAVIOR _____

VOICE _____

LOCATION NAME _____

BODY _____

GPS COORDINATES _____

LEGS / FEET _____

HABITAT _____

WEATHER CONDITIONS

ADDITIONAL NOTES _____

_____

_____

_____

MONTH SPOTTED

J	F	M	A	M	J	J	A	S	O	N	D

_____

_____

PHOTO / SKETCH

LOCATION

LOCATION NAME _____

GPS COORDINATES _____

WEATHER CONDITIONS

MONTH SPOTTED

	J	F	M	A	M	J	J	A	S	O	N	D

HEAD

SPECIES _____

SEX / AGE _____

BEHAVIOR _____

VOICE _____

BODY _____

LEGS / FEET _____

HABITAT _____

ADDITIONAL NOTES _____

_____

_____

_____

_____

_____

PHOTO / SKETCH

LOCATION

LOCATION NAME _____

GPS COORDINATES _____

WEATHER CONDITIONS

MONTH SPOTTED

J	F	M	A	M	J	J	A	S	O	N	D

HEAD

SPECIES _____

SEX / AGE _____

BEHAVIOR _____

VOICE _____

BODY _____

LEGS / FEET _____

HABITAT _____

ADDITIONAL NOTES _____

_____

_____

_____

_____

_____

PHOTO / SKETCH

LOCATION

LOCATION NAME _____

GPS COORDINATES _____

WEATHER CONDITIONS

MONTH SPOTTED

J	F	M	A	M	J	J	A	S	O	N	D

HEAD

SPECIES _____

SEX / AGE _____

BEHAVIOR _____

VOICE _____

BODY _____

LEGS / FEET _____

HABITAT _____

ADDITIONAL NOTES _____

_____

_____

_____

_____

_____

PHOTO / SKETCH

LOCATION

LOCATION NAME ....

GPS COORDINATES ....

WEATHER CONDITIONS

MONTH SPOTTED

J	F	M	A	M	J	J	A	S	O	N	D

HEAD

SPECIES ....

SEX / AGE ....

BEHAVIOR ....

VOICE ....

BODY ....

LEGS / FEET ....

HABITAT ....

ADDITIONAL NOTES ....

PHOTO / SKETCH

LOCATION

LOCATION NAME _____

GPS COORDINATES _____

HEAD

SPECIES _____

SEX / AGE _____

BEHAVIOR _____

VOICE _____

BODY _____

LEGS / FEET _____

HABITAT _____

WEATHER CONDITIONS

ADDITIONAL NOTES _____

MONTH SPOTTED

J	F	M	A	M	J	J	A	S	O	N	D

PHOTO / SKETCH

LOCATION

LOCATION NAME _____

GPS COORDINATES _____

WEATHER CONDITIONS

MONTH SPOTTED

J	F	M	A	M	J	J	A	S	O	N	D

HEAD

SPECIES _____

SEX / AGE _____

BEHAVIOR _____

VOICE _____

BODY _____

LEGS / FEET _____

HABITAT _____

ADDITIONAL NOTES _____

_____

_____

_____

_____

_____

PHOTO / SKETCH

LOCATION

HEAD

SPECIES _____

SEX / AGE _____

BEHAVIOR _____

VOICE _____

LOCATION NAME _____

BODY _____

GPS COORDINATES _____

LEGS / FEET _____

HABITAT _____

WEATHER CONDITIONS

ADDITIONAL NOTES _____

_____

_____

_____

MONTH SPOTTED

J	F	M	A	M	J	J	A	S	O	N	D

PHOTO / SKETCH

LOCATION

LOCATION NAME ....

GPS COORDINATES ....

WEATHER CONDITIONS

MONTH SPOTTED

J	F	M	A	M	J	J	A	S	O	N	D

HEAD

SPECIES ....

SEX / AGE ....

BEHAVIOR ....

VOICE ....

BODY ....

LEGS / FEET ....

HABITAT ....

ADDITIONAL NOTES ....

....

....

....

....

....

PHOTO / SKETCH

LOCATION

LOCATION NAME _____

GPS COORDINATES _____

WEATHER CONDITIONS

MONTH SPOTTED

J	F	M	A	M	J	J	A	S	O	N	D

HEAD

SPECIES _____

SEX / AGE _____

BEHAVIOR _____

VOICE _____

BODY _____

LEGS / FEET _____

HABITAT _____

ADDITIONAL NOTES _____

_____

_____

_____

_____

_____

PHOTO / SKETCH

LOCATION

LOCATION NAME _____

GPS COORDINATES _____

WEATHER CONDITIONS

MONTH SPOTTED

	J	F	M	A	M	J	J	A	S	O	N	D

HEAD

SPECIES _____

SEX / AGE _____

BEHAVIOR _____

VOICE _____

BODY _____

LEGS / FEET _____

HABITAT _____

ADDITIONAL NOTES _____

_____

_____

_____

_____

_____

_____

PHOTO / SKETCH

LOCATION

LOCATION NAME _____

GPS COORDINATES _____

WEATHER CONDITIONS

MONTH SPOTTED

J	F	M	A	M	J	J	A	S	O	N	D

HEAD

SPECIES _____

SEX / AGE _____

BEHAVIOR _____

VOICE _____

BODY _____

LEGS / FEET _____

HABITAT _____

ADDITIONAL NOTES _____

_____

_____

_____

_____

_____

PHOTO / SKETCH

LOCATION

LOCATION NAME _____

GPS COORDINATES _____

WEATHER CONDITIONS

MONTH SPOTTED

J	F	M	A	M	J	J	A	S	O	N	D

HEAD

SPECIES _____

SEX / AGE _____

BEHAVIOR _____

VOICE _____

BODY _____

LEGS / FEET _____

HABITAT _____

ADDITIONAL NOTES _____

_____

_____

_____

_____

_____

PHOTO / SKETCH

LOCATION

LOCATION NAME ....

GPS COORDINATES ....

WEATHER CONDITIONS

MONTH SPOTTED

J	F	M	A	M	J	J	A	S	O	N	D

HEAD

SPECIES ....

SEX / AGE ....

BEHAVIOR ....

VOICE ....

BODY ....

LEGS / FEET ....

HABITAT ....

ADDITIONAL NOTES ....

....

....

....

....

....

PHOTO / SKETCH

LOCATION

LOCATION NAME

GPS COORDINATES

WEATHER CONDITIONS

MONTH SPOTTED

	J	F	M	A	M	J	J	A	S	O	N	D

HEAD

SPECIES

SEX / AGE

BEHAVIOR

VOICE

BODY

LEGS / FEET

HABITAT

ADDITIONAL NOTES

PHOTO / SKETCH

LOCATION

LOCATION NAME _____

GPS COORDINATES _____

WEATHER CONDITIONS

MONTH SPOTTED

J	F	M	A	M	J	J	A	S	O	N	D

HEAD

SPECIES _____

SEX / AGE _____

BEHAVIOR _____

VOICE _____

BODY _____

LEGS / FEET _____

HABITAT _____

ADDITIONAL NOTES _____

_____

_____

_____

_____

_____

_____

PHOTO / SKETCH

LOCATION

LOCATION NAME _____

GPS COORDINATES _____

HEAD

SPECIES _____

SEX / AGE _____

BEHAVIOR _____

VOICE _____

BODY _____

LEGS / FEET _____

HABITAT _____

WEATHER CONDITIONS

ADDITIONAL NOTES _____

MONTH SPOTTED

J	F	M	A	M	J	J	A	S	O	N	D

PHOTO / SKETCH

LOCATION

LOCATION NAME

GPS COORDINATES

HEAD

SPECIES

SEX / AGE

BEHAVIOR

VOICE

BODY

LEGS / FEET

HABITAT

WEATHER CONDITIONS

ADDITIONAL NOTES

MONTH SPOTTED

J	F	M	A	M	J	J	A	S	O	N	D

PHOTO / SKETCH

LOCATION

LOCATION NAME ....

GPS COORDINATES ....

WEATHER CONDITIONS

MONTH SPOTTED

	J	F	M	A	M	J	J	A	S	O	N	D

HEAD

SPECIES ....

SEX / AGE ....

BEHAVIOR ....

VOICE ....

BODY ....

LEGS / FEET ....

HABITAT ....

ADDITIONAL NOTES ....

....

....

....

....

....